[第2版]

考古学

初めて考古学を勉強する方のために

の世界

THE WORLD OF ARCHAEOLOGY

second edition

古庄 浩明

HIROAKI FURUSHO

三恵社

目　次

はじめに

　大学での考古学入門講義の教科書として書いたこの本も、ご好評につき第二版を出版することになりました。大学生に限らずこの本は、考古学を全く知らない方に読んでいただきたいと思います。ツタンカーメンや万里の長城、ラスコー洞窟の壁画、伝仁徳天皇陵など、世界には古代の人びとが残した遺跡や遺物がたくさんあります。これらの遺跡や遺物を研究する学問が考古学です。「考古学って夢があっていいわねー。」とよく言われます。本当にその通り。でも、このときの「夢」って何なのでしょうか。いったいどこから来ているのでしょうか。実は皆さんが「夢」と呼んでいるものには、とても重要な意味があり、役割があったのです。

　この本では、考古学という「夢」がどんなに重要かということをお話しすると共に、現在の考古学がどんなことをやっているのかを少しでも知っていただきたいと思っています。この本は考古学への入り口の第一歩です。お読みいただいて、考古学のことをもっと詳しく知りたいと思っていただければ幸いです。

　図版はウィキペディアや各報告書、現地説明会資料などから引用しました。基本的に再利用が許されているものを使いました。そのほか、印刷物から引用した場合は各章の最後に引用元を記しています。私自身が撮った写真もあります。

　本書は、コリン・レンフルー　ポール・バーンの『考古学－理論・方法・実践－』（コリン・レンフルー　ポール・バーン 2007『考古学－理論・方法・実践－』東洋書林）を参考にしています。もっと詳しくお知りになりたい方は、こちらの本をおすすめいたします。

ファイアズ・テパ出土三尊像（ウズベキスタン）

Ⅰ．考古学とは何でしょう？

A 考古学の定義

　考古学は人類が残した過去の痕跡（遺物・遺構・遺跡）を発見し、これらを科学的に研究して、想像力を働かせ、過去の社会や歴史を復元する学問です。

　そして、その目的と使命は、復元した過去の社会や歴史を人類の知的財産として、教育や普及活動を通して私たちの現代社会に還元することです。また、私たちに人類の過去を教えてくれた遺跡・遺構・遺物などの文化遺産の重要性を皆さんに知らせ、これらを後世の人びとに残すために破壊や損傷・劣化から守ることにも努めなければなりません。なぜならば、過去の人類の残した文化遺産はもう二度と作ることができません。もし、これらをすべて壊してしまったら、私たちの子孫は文化遺産を見ることも、研究することもできなくなるわけです。その意味で自然保護と文化財の保護は似ていると言えます。

　以上のことから、私は考古学の基礎的な活動を大きく次の4つに分けて考えています。
1，資料の収集
2，過去の社会や歴史の復元
3，現代社会へ還元するための教育普及活動
4，修復保存と有効活用
　そして、これらを遂行するための方法として、
① 考古学資料を収集するために、まず、遺跡の分布調査を行なって所在を明らかにし、その後、発掘調査を行い、出土した資料整理して報告書を作成します。
② そのようにして収集した資料を使って、考古学理論を駆使して研究を進め、論文を発表し、過去の社会や歴史を復元します。
③ その後、博物館の展示や講演、出版物を通じて、復元した過去の社会や歴史を現代の人びとへ還元するのです。
④ また、後世に文化遺産を伝えるため、まず資料の現状を調査し、科学的分析を経て修復・保存方法を検討します。その後、修復・保存の措置を行った上で、保護・維持管理の手立てを講じなければなりません。さらに、文化遺産の重要性を広く皆さんに知らせ、これを有効に活用していかねばならないのです。文化遺産の保存は文化財修復の専門家や保存科学の専門家など各専門家と協力して行わなくてはなりません。

B 考古学の位置

　現在、考古学は人類学の一分野とする考え方と、歴史学の一分野とする考え方があります。

　人類学とは、「人類とは何か」について研究する学問で、動物としての人類と、人類の

特徴である「文化」や「社会」について研究し、一般的法則を求める学問です。人類学は、さらに人類の生物学的・身体的特徴を研究する形質人類学と、人類の「文化」や「社会」について研究する文化人類学、過去の人類が獲得した「文化」や「社会」について研究する考古学に分類されています。

　一方、歴史学とは、「人類の歴史」について研究する学問で、それぞれの国や地域の歴史を求めようとし、文献資料から歴史を復元する文献史学と、物質から歴史を復元する考古学に分類されます。

　以前よりイギリス・ドイツ・日本では、現代の私たちの祖先や民族・国や地域の成り立ちを探求するという目的で、考古学は歴史学に分類されました。一方、フランスでは原人や旧人など、現代の人類に直接結びつかない、もっと古い時代の研究が盛んです。また、アメリカは建国後の歴史は 200 年余りしかなく、それ以前はネイティブアメリカンの世界です。したがって考古学を人類学の分野に位置づけることが一般的だったのです。

　考古学が過去の人類の社会とその変化を探求しようとすると、そこには時間軸が介在します。したがって私自身は考古学を歴史学の一分野と位置づけています。

　どちらに位置づけるにしても「考古学とは、過去の人びとが残した物質資料と、それを活用して過去を知ろうとする現代の人びとを結ぶ科学的研究方法である」と言うことができます。

C 考古学の必要性

　考古学は、日本では一般に歴史学の中に含まれています。そこで、考古学に限らず歴史がなぜ人間にとって大切なのかを説明すれば「考古学が何の役に立つのか」に対する答えとなると思います。

　歴史の必要性を、中国の人はたった四文字であらわしました。「温故知新」。人類は過去のことを「昔話」や「伝説」「神話」「言い伝え」などという形で伝承し、みずからの起源を見いだしたり、教訓として過去の人々の失敗を繰り返さないようにしたり、成功した経験や新しい工夫を後世に伝達したりしてきました。このように、無意識のうちに歴史を経験的に活用して未来を決定し、生存し、繁栄してきた動物なのです。

　チーターのように速い足も、ライオンのように鋭い爪や強い牙を持たない、生物としては弱い人類にとって、歴史こそ生存戦略のひとつであり、繁栄の鍵だったのです。私たちには「歴史」という言葉を使わなくても、無意識のうちに歴史に興味を持ち、それを活用するという DNA が組み込まれているといっても過言ではありません。だから「数学の歴史」「科学の歴史」「音楽の歴史」というようにすべてに歴史があります。歴史は人間の思考や行動など、すべての基礎であり、もっとも重要な学問のひとつなのです。みなさんが考古学に夢を感じられるのは、皆さんの DNA に組み込まれている生存戦略としての歴史に対する感覚なのだと私は思います。

　「いくら歴史が大切でも、古い時代を扱う考古学はもう役に立たない」と思われるかも

知れません。しかし、古い時代にこそ人間の本質があり、私たちがこれから行動を決定するうえで基礎となるべき、根本的な知識が示されていると私は考えています。「人は何をして成功し、何をして失敗してきたのか」そして「これから何をなすべきなのか」は、利害関係が複雑化し、多様化した社会では見えにくいものとなっています。考古学が扱う古い時代にこそ、このことが明確に示されていると私は思うのです。

　また、私たちは「自分」というものを常に意識しています。それは人類のもう一つの生存戦略である「集団で行動する」ために必要な意識だからです。他者がいなければ自分という意識は生まれません。つまり、他者との関係において自分という意識が芽生え、集団を維持するための機能である社会の構成員として自分を意識させているのです。社会こそ自分を意識させ、形成させている要因なのです。「自分とは何か、自分はどんな人間か」を知るためには、自分が帰属する社会の成り立ちやルーツを知る必要があります。したがって、自分を知るために歴史が必要であり、考古学が必要であると言うこともできます。

ペンジケント出土壁画（タジキスタン）

II．世界考古学の大まかな歴史

A 近代以前の考古学

　歴史が人類の生存戦略である以上、その起源は人類が生まれたときに始まると考えられ、考古学もまた人類が生まれた遙か昔に生まれたと推測することもできます。ただし、明確に考古学が昔の人びとの遺産を調査するものとして意識され始めたのは、14世紀頃からです。しかし、その解釈は神話的なものであり、およそ科学的な思考とはかけ離れたものでした。

　14世紀から16世紀のルネッサンス期は、古典復古の時期であり、ギリシャ・ローマの遺物の収集のための遺跡の調査が行われました。

　次の15世紀中頃から17世紀中頃の大航海時代には、西洋文化とは違う、様々な文化や民族が紹介されました。この時代、イギリスではストーンヘンジ（第1図）などのモニュメントや、アメリカ大陸ではティオティワカン（第2図）など、忘れ去られた人びとの残した建造物が注目を集めました（ティオティワカン メキシコシティ北東約50キロの地点にあり紀元前2世紀から6世紀まで存在した巨大な宗教都市遺跡）。

　18世紀になると、科学的調査法が生まれます。1765年、ペルーのファカ・デ・タンタルックの遺跡で、初めて遺跡を土層ごとに掘るという層位的な調査が行われました。1784年、アメリカでは、後に第3代大統領となるトマス・ジェファーソンが（第3図）、ミシシッピー川岸の墳丘墓は、ネイティブアメリカンの祖先によって造られたものではなく、神話上の白人のマウンド・ビルダーによって造られたことを、発掘によって証明しようとしました（第4図）。彼は、ヴァージニア所領地の墳丘墓にトレンチ（溝）を設定し、これを層位的に発掘調査しました。結局、この調査では

第1図　ストーンヘンジ

第2図　ティオティワカン

第3図　トマス・ジェファーソン

墳丘墓をネイティブアメリカンの祖先が造った墓
ではないこと証明できませんでしたが、彼の調査
方法は、現在でも行われる方法となりました。

　また、イギリスのリチャード・コルト・ホアは、
墳墓をその形状で分類しました。これが今日私た
ちが行っている型式分類の初源です。

　イタリアでは、この時期ポンペイ遺跡の調査が
開始されますが、科学的な調査は 19 世紀になって
からです。

第 4 図　モンクス・マウンド

B　近代考古学の始まり

　近代考古学は、19 世紀半ばに始まったと言うこ
とができます。1669 年、すでにデンマークのニコ
ラウス・ステノによって「地層は下の層ほど古く、
上の層ほど新しい」という地層累重の法則が発表
されていました（第 5 図）。フランスのジャック・
プシェ・ドゥ・ペルテは、1841 年にソムン川の石切
場で、この地層累重の法則を使って礫石器と絶滅
動物の骨が共伴していることを発表しました。こ
の発表は、洪水伝説のずっと以前から人類が生存
していたと主張するもので、人類の始まりは聖書
に書かれた数千年よりもはるかに古いことを証明
するものでした。これによって聖書とは別の人類
の歴史が必要となり、人類の起源についての疑問
が持ち上がることになったのです。

　これより少し前の 1836 年、デンマーク・コペン
ハーゲン国立博物館の学芸員だった C.J.トムセ
ンは、博物館の資料をその素材により分類し、石
器時代・青銅器時代・鉄器時代としてガイドブッ
クに紹介しました。これが三時代区分法とよばれ
るもので、遺物から相対的な年代を明らかにでき
ることを証明しました（第 6 図）。後に石器時代
は、磨いた石器を用いる新石器時代と、打ち欠い
ただけの磨かない石器を使う旧石器時代に分け
られることになりました。三時代区分法は、文化
の特徴をあらわしたり、進化の過程を考察した

第 5 図　ニコラウス・ステノ

C. J. THOMSEN.

第 6 図　C.J.トムセン

り、また、地域間の時代を比較するためにも重要な基準となっています。

C 種の起源と社会進化論

1859 年、生物学の分野で画期的な論文が発表されます。チャールズ・ダーウィンの『種の起源』です（第7図）。「自然淘汰」と「適者生存」という二つの考え方が特徴で、簡単に言えば「周囲の環境に適応した個体が生き残り、有利な特性を子孫に伝えることによって、徐々に進化して新しい種が生まれる」ということです。彼の考え方は生物学的進化論とよばれています。人間も動物の一種ですから、当然この考え方が当てはまることになります。「人類の起源とは何か、文字のない時代の人びとはどのような状況だったのか」という疑問が生まれてくることは至極当然のことだったでしょう。考古学の技術を駆使して、これに答えようとする試みが盛んに行われます。

また、すでに大航海時代には、素朴な民族や社会が紹介され、いまも彼らが使用している道具と類似した遺物が、西洋の先史時代の遺跡から出土することから、遺物の利用方法や古代の社会を考察する上で民族学が有用だということがわかっていました。さらに、進化論の影響で「社会は素朴な社会から高度な社会へ発展した」と考えられるようになり、19 世紀後半には、人類の発達過程を検討するという社会進化論がうまれました。

カール・マルクスは 1858 年に『先資本主義経済の形成』を、さらに 1867 年『資本論』の第一巻を著しました（第8図）。また、ルイス・ヘンリー・モーガンは、1877 年に『古代社会』で、「人類は野蛮（原始的狩猟）→未開（単純農業）→文明（高度な社会）へと進化する」と唱えました。この考えをもとに、マルクスの友人のフリードリッヒ・エンゲルス（第9図）は、1884 年に『家族私有財産および国家の起源』を著したのです。

第7図 チャールズ・ダーウィン

第8図 カール・マルクス

第9図 フリードリッヒ・エンゲルス

また、スウェーデンのオスカー・モンテリウスは生物進化を応用して、物質文化も進化すると考えて、型式学の基礎を樹立しました。

このように、ダーウィンの進化論は社会進化論や唯物史観、物質文化の進化という考え方を生み出すことになりました。

「三時代区分法の発明」「人類の起源への疑問」「進化論の発表」は、物質を科学的に研究し、人間の歴史を探るという考古学の枠組みを完成させることになりました。

D 19 世紀の考古学調査

考古学の理論が確立しようとする中、考古学的調査では、エジプト・メソポタミア・新大陸で古代文明の発見と調査がおこなわれ、「聖書世界」と「聖書にない未知の古代文明」の解明が進められました。

旧約聖書に記された地、エジプトでは、1798〜1800 年のナポレオンのエジプト遠征でロゼッタ・ストーンが発見され、これをもとに 1882 年にシャンポリオンが象形文字の解読に成功しました。これによってエジプト考古学が飛躍的に発展したことは言うまでもありません（第10図）。

同じ旧約聖書の地メソポタミアでは、1840 年代にフランス隊（ポール・エミール・ボッタ）とイギリス隊（オースティン・ヘンリー・レイヤー）が、美術品の収集を目的として先を争って発掘を行いました。1850 年、ヘンリー・ローリンソンによってくさび形文字が解読されたことにより、レイヤーが発掘したクユンジュク遺跡は、旧約聖書に記されたアッシリアの首都ニネベであったことが明らかとなりました。

一方、新大陸では、ジョン・ロイド・スティーブンスが、古代マヤの都市やその他の建造物をスペイン人が征服する以前に住んでいた人びとの祖先が造ったものと主張しました。ヨーロッパで

第10図 ロゼッタ・ストーン

第11図 シュリーマン

第12図 トロイ

は、ギリシャの叙事詩人ホメロスの『イリアッド』に記載されているトロイ戦争を史実だと考えたハインリッヒ・シュリーマン（第11図）が、1870〜1880年代に発掘調査を行って、ついにトロイを発見しました（第12図）。彼はその後、ミケーネ文明の発見にも成功しています（第13・14図）。

第13図 ミケーネ獅子の門

E 調査技術の進展

19世紀後半〜20世紀初頭、イギリスのピット・リヴァース将軍は、イングランドの墳墓の発掘において軍隊式の組織化された発掘調査を行い、正確な図面をとって遺物の出土位置を記録しました。1887〜1898年に彼が行なったクランボーン・チェイスの墳丘墓の発掘調査、およびその報告書は、現代の報告書の基礎となっています。彼のコレクションはオックスフォード大学へ寄贈され、ピット・リヴァース博物館が創設されました。

エジプトとパレスティナで調査を行っていたウィリアム・フリンダース・ペトリーは、出土した遺物すべての記録をとることを実践しました。また、シーケンス法という土器編年の方法も彼が考案しています。ペトリーは浜田耕作の師でもあり、日本考古学にも大きな影響を与えたのです。

第14図 アガメムノーンのマスク

世界的に知られる、ハワード・カーターのエジプト・ツタンカーメン王墓の発掘は、1920年のことでした（第15図）。

F 編年と歴史の時代

20世紀に入って、1960年代までは「編年と歴史の時代」と呼ばれ、各地域の編年体系と歴史の確立に力が注がれました。20世紀初頭には、日本に現在も大きな影響を与えているゴードン・チャイルドが活躍しました。彼は、資料の分類と整理から特定集団の文化と起源に迫ろうとしたのです。

第15図 ツタンカーメンのマスク

アメリカの人類学者ジュリアン・スチュワードは、文化は他の文化と影響し合うだけではなく、環境とも相互に作用しあうとし、環境への適応が文化変化をもたらすという「文化生態学」を提唱しました。文化生態学的アプローチは、ゴードン・ウィリーが1940年代後半にペルーのヴィル渓谷で行った、環境と集落パターンを照合する調査が先駆的なものでした。これらの研究はのちにプロセス考古学とよばれる、ニューアーケオロジーの運動へとつながります。

G 学際的研究の始まり

グラハム・クラークは古代社会がいかに環境に適応していったかを、環境分析を行うことによって解明しようとしました。クラークの研究は、古代社会を解明するために生物学や土壌分析学など、学際的協力が必要なことを証明したのです。これ以降、考古学は他分野の研究を受け入れていくことになりました。

1949年、アメリカのウィラード・リビーは、放射性炭素（C14）年代測定法を発表します。これによって、それまで行われていた文献との比較や、すでに時代が知られた考古資料と比較して遺物や遺構の年代を決める相対的な年代決定法から、対象資料を科学的に分析にして直接絶対的な年代を知ることができるようになったのです。現在、この放射性炭素年代測定法が考古資料の年代を決定する一般的な方法となりつつあります。

放射性炭素年代測定法にとどまらず、花粉分析や微量元素分析など科学技術の応用は考古学の世界に革命をもたらしたといって良いでしょう。それと共に学際的協力の重要性が高まったことは言うまでもありません。近年では分析の精度が上がるとともに、さらに詳しい原始・古代社会の解明が行われています。また、DNA分析など、新しい科学技術を活用した社会の解明も進められています。

H ニューアーケオロジーの出現

1960年代になると、考古学自体にも新しい理論が出現します。現代ではプロセス考古学と呼ばれているニューアーケオロジーの出現です。

ニューアーケオロジーの運動は、従来の考古学理論に対するさまざまな不満から生まれてきました。その主な不満は、従来の考古学では「過去に何が起きたか」を知ろうとするだけで「なぜそれが起きたか」を説明していないということ、また、「過去を復元する方法が経験的で客観性を欠く」というものです。

これらの不満に対して、それ以前にも、ウォルター・ティラーによる社会や文化をシステムとして考えるシステム論研究法や、ゴードン・ウィリーとフィリップ・フィリップスによる、プロセス的に解釈する方法が提唱されましたが、特にニューアーケオロジーとして大きな動きを展開したのは、ルイス・ビンフォードを中心とする考古学者でした。

ルイス・ビンフォードたちの主張は、ゴードン・ウィリーとフィリップ・フィリップスの考え方を受け継いでおり、

1，過去の復元ではなく、過去の社会や変化を説明しなければならない。

2，説明は経験的妥当性によって説明するのではなく、定量的・客観的証拠をもって検証し説明する。

3，資料をつなぎ合わせて帰納法的に結論を導き出すのではなく、仮説をたてモデルを構築して演繹的に説明し、一般化する。

というものでした（ルイス・ビンフォード1968『考古学に於ける新しい視点』）。

　後に、ニューアーケオロジーは「プロセス考古学」と名を変えて呼ばれるようになりました。現在、これらの考え方をもとに、考古学理論はさらに発展し続けています。

図版の出典・参考文献

第1図 ストーンヘンジ『フリー百科事典　ウィキペディア　日本語版』2021/01/15
http://ja.wikipedia.org/wiki/%E3%83%95%E3%82%A1%E3%82%A4%E3%83%AB:Stonehenge_Closeup.jpg
第2図 ティオティワカン『フリー百科事典　ウィキペディア　日本語版』2021/01/15
http://ja.wikipedia.org/wiki/%E3%83%95%E3%82%A1%E3%82%A4%E3%83%AB:Mexico.Mex.Teotihuacan.PyramidMoon.01.jpg
第3図 トマス・ジェファーソン『フリー百科事典　ウィキペディア　日本語版』2021/01/15
http://ja.wikipedia.org/wiki/%E3%83%95%E3%82%A1%E3%82%A4%E3%83%AB:ThomasJefferson-Painting.jpg
第4図 モンクス・マウンド『フリー百科事典　ウィキペディア日本語版』2021/01/15
http://ja.wikipedia.org/wiki/%E3%83%95%E3%82%A1%E3%82%A4%E3%83%AB:Monks_Mound_in_July.JPG
第5図 ニコラウス・ステノ『フリー百科事典　ウィキペディア　日本語版』2021/01/15
http://ja.wikipedia.org/wiki/%E3%83%95%E3%82%A1%E3%82%A4%E3%83%AB:Niels_stensen.jpg
第6図 C.J.トムセン『フリー百科事典　ウィキペディア　日本語版』2021/01/15
http://ja.wikipedia.org/wiki/%E3%83%95%E3%82%A1%E3%82%A4%E3%83%AB:Christianj%C3%BCrgensenthomsen.png
第7図 チャールズ・ダーウィン『フリー百科事典　ウィキペディア　日本語版』2021/01/15
http://ja.wikipedia.org/wiki/%E3%83%95%E3%82%A1%E3%82%A4%E3%83%AB:Darwin_ape.jpg
第8図 カール・マルクス『フリー百科事典　ウィキペディア　日本語版』2021/01/15
http://ja.wikipedia.org/wiki/%E3%83%95%E3%82%A1%E3%82%A4%E3%83%AB:Karl_Marx.jpg
第9図 フリードリッヒ・エンゲルス『フリー百科事典　ウィキペディア　日本語版』2021/01/15
http://ja.wikipedia.org/wiki/%E3%83%95%E3%82%A1%E3%82%A4%E3%83%AB:Engels2.jpg
第10図 ロゼッタ・ストーン『フリー百科事典　ウィキペディア　日本語版』2021/01/15
http://ja.wikipedia.org/wiki/%E3%83%95%E3%82%A1%E3%82%A4%E3%83%AB:Rosetta_Stone.JPG
第11図 シュリーマン『フリー百科事典　ウィキペディア　日本語版』2021/01/15
http://ja.wikipedia.org/wiki/%E3%83%95%E3%82%A1%E3%82%A4%E3%83%AB:Heinrich_Schliemann.jpg
第12図 トロイ『フリー百科事典　ウィキペディア　日本語版』2021/01/15
http://upload.wikimedia.org/wikipedia/commons/d/d7/Troy1.jpg
第13図 ミケーネ獅子の門『フリー百科事典　ウィキペディア　日本語版』2021/01/15
http://ja.wikipedia.org/wiki/%E3%83%95%E3%82%A1%E3%82%A4%E3%83%AB:Mycenae_lion_gate_dsc06382.jpg
第14図 アガメムノーンのマスク『フリー百科事典　ウィキペディア　日本語版』2021/01/15
http://ja.wikipedia.org/wiki/%E3%83%95%E3%82%A1%E3%82%A4%E3%83%AB:MaskeAgamemnon.JPG
第15図 ツタンカーメンのマスク『フリー百科事典　ウィキペディア　日本語版』2021/01/15
http://ja.wikipedia.org/wiki/%E3%83%95%E3%82%A1%E3%82%A4%E3%83%AB:Tutanchamun_Maske.jpg

コリン・レンフルー　ポール・バーン 2007『考古学－理論・方法・実践－』東洋書林

東海大学・ディアドヴォ遺跡（ブルガリア）

Ⅲ. 日本考古学の大まかな歴史

A 初めての学術調査

　1692年（元禄5年）徳川光圀（水戸光圀）は、1676年（延宝4年）に発見された那須国造碑との関連を調べるために、小口村（那珂川町小口）の庄屋・大金重貞らに命じて上侍塚・下侍塚を発掘調査しました（第16図）。しかし、関連を裏付ける墓誌などは発見できず、出土品は絵図に記録後、松板製の箱に収め埋め戻されました。これが記録に残る日本最初の学術発掘だと思われます。このように一部の知識人は学問的な思考で、遺跡を調査したり遺物を収集したりしましたが、散発的な活動で体系化されませんでした。江戸時代の終わりまで考古資料に対する興味のほとんどは、集古趣味的なものだったのです。

第16図　下侍塚

B 日本における近代考古学の始まり

　日本の近代考古学は、エドワード・S・モースに始まります（第17図）。彼はアメリカから来た生物学者で、貝の専門家です。明治政府に雇われて東京大学で教鞭をとっていました。

　モースは東海道線の大森駅付近で貝塚を発見し、これを発掘調査して「Shell mound of Omori」という報告書を刊行しました。これが大森貝塚の調査で、日本の近代考古学の出発点となります（第18図）。

第17図　エドワード・S・モース

　モースは進化論や考古学の講演を行って日本の考古学に多大な影響を与えましたが、彼の学風を受け継いだ佐々木忠次郎や飯島魁（いさお）は生物学者だったので、陸平（おかだいら）貝塚の報告を最後に彼の教えは途絶えてしまうことになります。しかし、モースの活動に刺激された坪井正五郎や白井光太郎が1884年に人類学会を設立し、主に石器時代の研究をおこないました。また、三宅米吉は1895年に考古学

第18図　大森貝塚

11

会を設立し、主に古墳時代の研究を進め、明治期の考古学会をリードすることとなりました。

　ところが、天皇制絶対主義の成立と帝国主義の台頭によって、神話的歴史観を擁護せざるおえなくなり、考古学は、理論を発展させて新しい発見を積み重ねながらも、記紀の記述を補強する学問として利用され、大陸侵略を合理化するものとなってしまったのです。

　大正時代1913年にヨーロッパに留学し、エジプト考古学者のペトリーに師事した浜田耕作は、最新の考古学や型式学を学びました（第19図）。帰国後1918年から「考古学の栞（しおり）」として、その研究方法を『史林』に連載し、後にこれをまとめ『通論考古学』として刊行しました。浜田の研究方法は、考古学の科学的研究方法を体系化したものとして、今日にも受け継がれています。

第19図　浜田耕作

　一方、古生物学者であった松本彦七郎は、貝塚を分層的に発掘し「地層累重の法則」「標準化石の概念」を取り入れ、さらに進化論を応用して土器の形式の変化を説きました。彼の土器研究法は、大正末から昭和前半の縄文土器研究者へと受け継がれます。彼らが活躍した時期は、折しも大正デモクラシーの時期と合致して、実証主義的な機運が高まった時でもありました。

　大正の末から昭和の前半には各時代の研究もそれぞれ進展しました。

　そもそも、日本の旧石器時代について初めて言及したのは、明治時代に来日した N.G.マンローです。彼は各地から出土する象や鹿の化石骨や、神奈川県の早川・酒匂川の河岸段丘から採集した礫を旧石器のものとして紹介し、その可能性を指摘しました。しかし、記紀に基づく歴史観を推し進めていた日本の歴史学者は、彼の意見を全く無視してしまいました。

　大正時代になって1917年に、日本における旧石器時代の存在を確認するため浜田耕作によって国府（こう）遺跡の調査が行われましたが、確証をつかむことはできませんでした。

　昭和になると、1927年、直良信夫は西八木海岸で石器を採集して、1931年にこれを発表し、日本の旧石器時代の存在を主張しました。また、同年、同じ海岸で人の寛骨を発見し、この骨は戦後の1948年に、長谷部言人（ことんど）によって「明石原人」として発表されました。

　縄文時代の研究は、松本彦七郎から山内清男へと受け継がれました。彼は独自の形式論を発展させ、全国の編年表を作成して縄文土器研究の基礎を築きました。

　弥生時代の名称は、有坂鉊蔵・坪井正五郎らが1884年、向ヶ丘弥生町貝塚で発見した土器に由来します。1906年、八木奘三郎は、弥生土器を縄文土器と須恵器の中間の土器として、弥生時代が縄文時代と古墳時代の間の時代であることを示しました。この弥生時代を

農耕社会と位置づけたのは森本六爾でした（森本六爾 1934『日本原始農業新論』）。彼は考古学資料から当時の生活の基盤を追求するという研究方針を確立しました。この研究方針のもと、1933 年、様式の概念を発表し（小林行雄 1933「先史考古学に於ける様式問題」『考古学』4 巻 8 号）、森本とともに弥生土器の編年を形成したのが小林行雄です（小林行雄 1938 年『弥生式土器聚成図録』）。

　このように各時期の研究は進展しましたが、帝国主義と天皇を中心とした神話的歴史観をかかげて 2 つの世界大戦に突き進んだ当時の日本では、日本の原始古代について科学的に論究することはできない状況でした。

第 20 図　岩宿遺跡

C　第二次世界大戦後の考古学

　1945 年、ポツダム宣言を受諾し、翌年、日本国憲法が発布されると、日本は学問の自由と言論の自由が保障された民主主義の国となりました。これによって考古学的資料から科学的・実証的に歴史を構成することができるようになったのです。

第 21 図　登呂遺跡

　その代表的な出来事が、相沢忠洋が岩宿遺跡で関東ローム層の中から石器を発見したことです（第 20 図）。これによって、日本に旧石器時代が存在したことが証明されました。また、終戦直後にもかかわらず多くの研究者が集って行われた静岡県登呂遺跡の調査では、弥生時代の集落と水田などの遺構や土器・木器など多くの遺物が発見されました。それまでは遺構と遺物は別々に研究されていましたが、有機的に結合した空間的広がりをもつ遺跡として調査することによって、弥生時代の人びとの生活の様子を私たちに示すことになりました（第 21 図）。

　1948 年には神話的歴史観から解放された研究者は、登呂遺跡の調査の経験を生かし、お互いに研究を深め合うことを目的として、日本考古学協会を発足させました。その後、日本考古学協会は考古学の研究発展と文化財保護運動に力を尽すことになります。

　1960 年代になると日本は高度成長期になります。これに伴う工業地帯の開発ラッシュがおこり、次の 70 年代は日本列島改造論のもと、高速道路や鉄道などの建設工事が行われ、国土開発が推進されました。これらの事業にともなって発掘調査の規模も大規模になり、発掘件数も急激に増加して、年間 8000 件をこえ、遺跡がつぎつぎと消滅していきました。一

度失われた遺跡は元には戻りません。貴重な文化遺産をどのようにして残していくかは現在の私たちの大きな課題となっています。

D ニューアーケオロジーの運動の影響

　1960 年代に、アメリカで新しい考古学運動が始まります。いわゆるニューアーケオロジーです。この運動は、それまでの唯物史観ではなく、文化・技術・社会の変化をプロセスとしてとらえ、そのなかに人間行動の一般理論を見つけようとするもので、「人類学としての考古学」を提唱するものでした。

　このニューアーケオロジー運動は日本考古学にも大きな影響を与え、小林達雄の吹上パターンや酒井龍一のセトルメント・システムなど、資料の解釈の理論化に大きく寄与しました。

　現在では、コンピューターを使った数量解析や実験考古学、環境考古学、動物考古学、水中考古学など、いろいろな手法で考古学の研究が行われています。しかし、このようないろいろなアプローチも、人類の歴史を探求する以上、時間と空間と変化に論究する必要があります。そして、その証明方法は、考古学はモノから思考する学問ですから、帰納法的であれ演繹法的であれ、実証的なものでなければなりません。

図版の出典・参考文献

第 16 図　下侍塚『フリー百科事典　ウィキペディア　日本語版』2021/01/15
http://ja.wikipedia.org/wiki/%E3%83%95%E3%82%A1%E3%82%A4%E3%83%AB:20090421%E4%B8%8B%E4%BE%8D%E5%A1%9A%E5%8F%A4%E5%A2%B3.jpg
第 17 図　エドワード・S・モース『フリー百科事典　ウィキペディア　日本語版』2021/01/15
http://ja.wikipedia.org/wiki/%E3%83%95%E3%82%A1%E3%82%A4%E3%83%AB:EdwardSMorse.jpg
第 18 図　大森貝塚『フリー百科事典　ウィキペディア　日本語版』2021/01/15
http://ja.wikipedia.org/wiki/%E3%83%95%E3%82%A1%E3%82%A4%E3%83%AB:Monument_of_Shell_mounds_of_Omori.jpg
第 19 図　浜田耕作『フリー百科事典　ウィキペディア　日本語版』2021/01/15
http://ja.wikipedia.org/wiki/%E3%83%95%E3%82%A1%E3%82%A4%E3%83%AB:Hamada_Kosaku.jpg
第 20 図　岩宿遺跡　筆者撮影
第 21 図　登呂遺跡『フリー百科事典　ウィキペディア　日本語版』2021/01/15
http://ja.wikipedia.org/wiki/%E3%83%95%E3%82%A1%E3%82%A4%E3%83%AB:2004%E5%B9%B408%E6%9C%8825%E6%97%A5%E7%AB%AA02.JPG

森本六爾 1934『日本原始農業新論』
小林行雄 1933「先史考古学に於ける様式問題」
『考古学』4 巻 8 号
小林行雄 1938 年『弥生式土器聚成図録』

立正大学・カラ・テパ 加藤九祚先生（ウズベキスタン）

IV. 考古学の資料はどうやって収集されるのでしょう？

A 発掘調査について

　考古学の資料は人類の過去を考察できる物質であるモノです。モノには動産と不動産があり、主に動産を遺物、不動産を遺構と呼んでいます。また、遺物と遺構を有機的に結合した、ある一定のまとまりを遺跡と呼びます。人々は遺物・遺構の有機的結合空間に生を営んでいますので、遺跡こそ彼らの生きていた空間だと言うことができます。

　これらの資料を、最も組織的に、より正確に収集し、歴史や考古学理論を構築・証明する方法として発掘調査があります。考古学の発掘調査は科学の実験にあたり、考古学の基礎的な調査活動の一つです。ただし、科学の実験と最も大きく違う点は、一度発掘した遺跡は破壊・消滅してしまい、二度と発掘できない点です。その面では発掘調査は遺跡の破壊行為の一つであることを忘れてはいけません。従って、調査者は調査の過程とその結果を正確に記録して公開する義務を負っています。

　発掘調査では、遺跡の年代確定、遺跡の性格、遺跡と自然環境、遺跡の生成・廃棄の過程とその原因の究明など、将来も多方面で考察できるように調査し、記録することが大切です。発掘調査は闇雲に行うのではなく、一定の理論と技術が必要となります。考古資料の収集とは、資料を三次元的にとらえ、これを四次元的に思考して、そこに残された人間の営みや歴史を再構築することです。発掘調査の理論と技術は、この四次元的思考をより詳しく、正確に行えるように発展してきたといえます。

B 遺跡の発見から調査・報告書の刊行まで

1 遺跡の発見

　遺跡には、すでに知られていた「既知の遺跡」と、知られていない「未知の遺跡」があります。そして、今まで知られていなかった遺跡を見つけることを「遺跡の発見」、その遺跡を「新発見の遺跡」と呼びます。遺跡の発見は、偶然に発見される場合と、探査によって探し出される場合があります。

・偶然の発見

　みなさんも雨上がりや耕したばかりの畑で、土器や石器を見つけた経験があるかもしれません。偶然の発見は、農作業に伴って発見される場合や、子供の好奇心から発見される場合、土木工事・建築工事などの工事に伴う発見など多数あります。

ラスコー洞窟

　ラスコー洞窟（Lascaux）は、フランスの西南部ドルドーニュ県、ヴェゼール渓谷のモンティニャック村の近郊に位置する洞窟で、その中に、15000年前の旧石器時代後期のクロマニョン人によって描かれた、数百の馬・山羊・羊・野牛・鹿・カモシカ・人間・幾何学模様の彩画・刻線画・顔料を吹き付けて刻印した人間の手形などの壁画がありました。この洞窟壁画は 1940 年 9 月、ここで遊んでいた近

第 22 図　ラスコー洞窟

くの村の子供たちが、偶然に発見したものでした（第22図）。

秦の始皇帝の兵馬俑

兵馬俑とは、古代中国において死者を埋葬する際に副葬された、兵士や馬などをかたどった人形です。紀元前246年に即位し、前221年に中国を統一して、初めて皇帝と称した秦の始皇帝のものが有名です（第23・24図）。始皇帝の兵馬俑の発見は、1974年、畑を営んでいた住人が井戸を掘ろうとして偶然見つけたもので、彼はその後、博物館の名誉副館長となりました。

見瀬丸山古墳

見瀬丸山古墳は奈良県橿原市見瀬町、五条野町、大軽町にまたがった地区に存在する前方後円墳で、欽明天皇と堅塩媛の陵墓との説が有力です（第25図）。

古墳は江戸時代から明治時代にかけて幾度か石室内部の調査が行われ、宮内省によって後円部上段の一部が陵墓参考地に指定されていました。1991年、橿原市在住の児童が陵墓参考地を囲った柵の外に横穴式石室羨道への入り口を発見しました。この話を聞いた父親が、石室内部を撮影し、大阪の朝日放送に連絡をしたのです。石室内は家形石棺が、江戸時代の記録通りに配置されており、手前の石棺は6世紀の第3四半期、奥の石棺は7世紀の第1四半期に造られたと推定されました（第26図）。また、石室正面を構成する花崗岩は、石舞台古墳より大きい、重量が100トンを越える巨石であることがわかりました。その後、写真はテレビで全国的に公開され、大きな話題となりました。1992年、宮内庁書陵部によって実測調査が行われた後、開口部を閉塞しました。これは本物の天皇陵内部を見ることができた数少ない事例です。

・探査による発見

遺跡を発見するために探査を行う場合があります。探査を行う目的や動機はさまざまです。その一つは、開発や工事、資源の掘削などに伴う緊急調査で、まずは対象地域に遺跡が存在するかどうかの探査を行います。また、学問的な目的を持

第23図 始皇帝の兵馬俑

第24図 始皇帝

第25図 見瀬丸山古墳〔国土航空写真〕

って探査を行うこともあります。ホメロスの記述をもとにトロイを発見したシュリーマンの例や、聖書の記述に出てくる都市を確定しようとする例などは、文献資料をもとに遺跡を発見しようとするものです。また、考古学的な問題を解決するために行う場合もあります。そのほか、遺跡地図を作成して、将来の開発や研究、遺跡保護に備えるための探査も行われています。

探査は地上での探査（地上探査）、ボーリンステッキや磁気を使った探査（地中探査）、上空や宇宙からの探査（空中探査）、そして水中での探査（水中探査）に分けることができます。

地上探査

地上探査は、もっとも基本的な探査方法です。中でも、歩いて遺跡のありそうな地形を見つけ出し、地表に顔を出している遺物や遺構の跡を見つける踏査（とうさ）は、もっとも単純で昔から行われる方法ですが、大変有効な方法です。もともと一人または数人で踏査していましたが、現在ではもっと組織的に行う場合もあります。大勢の人が等間隔で並び、一斉に踏査を行います。

地中探査

地中の探査を行う場合もあります。横穴墓群などを探す場合は、尾根に並んで一斉にボーリングステッキを突き立てて、地下1mほどを探査しながら進んでいく方法もあります。中国では「洛陽鏟（さん）」という5m近い棒を突き立てて遺構を探す方法が用いられています（第27図）。

科学技術を利用して地中の探査を行うこともあります。振動を起こし、その伝わり方の違いから遺構を探査する方法や、電磁波を用いる方法、電気抵抗の違いによって遺構を探す方法などがあります。そのほか、磁気探査・金属探知機などさまざまな方法が用いられています。

空中探査

空中探査は、飛行機やヘリコプター、ドローンからの航空写真や画像、宇宙からの衛星写真などをもとに遺跡を発見する方法です。この方法は、広大な地域を一度に観察することができ、大きな遺跡の範囲や形の確定などに利用されます。中でも万里の長城や城郭都市、都市と

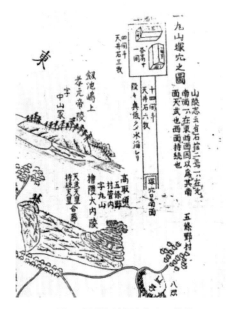

第26図 『聖蹟図志』より抜粋

第27図 洛陽鏟（さん）中国・周公廟遺跡

第28図 ダルベルジン・テパ ウズベキスタン
（google earth）

17

都市を結ぶ道やキャラバンルートの跡、遺跡同士の関係や遺跡と景観の関係などを探査するためには有益です。

　空中から遺跡を判断するには、構築物が地表から顔を出しているアース・マークと、地中に埋まった遺構を覆う覆土と周りの土との色の違いによって判断するソイル・マーク、そして、地中の遺構を覆う土の深さや養分の違いによって植物の生育が違ってくることを利用して遺構を見つけ出すクロップ・マークがあります。

　近年では google earth など、衛星写真を比較的容易に用いることができるようになりました。

水中探査－水中考古学－

　水中の考古学調査は、地上とは違う環境で行われる調査で、特殊な技術や方法が用いられます。水中の遺跡をさがす探査は、難破船や水中に沈んだ遺跡を探すために、ソナーなどを用いて行われています。クレオパトラの頃のエジプトの都アレクサンドリアは、近年海中から発見されたことで一躍脚光を浴びています。

　遺跡探査の結果などを基に遺物や遺構の分布地図を作成します。分布地図は将来、開発や発掘が行われるときのもっとも基礎的な資料となるため、遺跡探査は非常に重要な調査の一つです。近年ではこれら遺跡の情報をＧＩＳという地理情報システムを活用してコンピューター処理するようになりました。

2 遺跡の発掘

　遺跡の発掘は科学の実験のように、資料を収集する最も重要な行為です。しかし、科学の実験と異なるのは、実験は何度でも行うことができますが、発掘は基本的には一つの遺跡に対して一回しか行うことができず、失敗しても二度とその遺跡をもとの状況に戻すことができないことです。発掘は一種の遺跡破壊なのです。発掘を行う者は、そのことを肝に銘じ、責任を持って慎重な調査と十分な記録を残さなければならないのです。日本では開発のために年間 7000 件以上の発掘調査が行われ、ほとんどの遺跡が破壊されて、新しい建築物などが建てられています。原始・古代の遺跡を新しく造ることはできません。その数には限りがあります。このまま破壊され続けると、私たちに原始・古代の様子を知らせてくれる遺跡はこの世から全くなくなってしまうことになります。

　発掘の方法は遺跡や遺構の種類によって多様です。しかし、考古学の調査の基本はみな同じで、遺構や遺物の出土した状況をＸＹＺ軸の三次元空間的に把握することです。

・予備調査

　発掘するに当たって、まず、どのような遺跡が、どの範囲に、どのような状況で残されているかを把握する必要があります。そのために予備調査が行われます。この予備調査に沿って、本調査が計画されることになります。

　予備調査には、次のような方法があります。

・分布調査　遺跡の探査調査で、どこにどのような遺跡があるかを大まかに把握します。基本的には遺跡の破壊を伴いませんが、ボーリングステッキなどを使い、一部穴を開けてみることもあります。

・測量調査　遺跡やその周辺を測量することによって、遺跡の状況や形状、立地環境を地図

として残します。

・試掘調査　遺跡の一部を発掘して、遺構の正確な範囲や位置、具体的な性格を把握し、本調査の方針をたてるための資料とします。遺跡の性格に合わせて試掘区を設定したり、遺跡に設定された南北を基準とした方眼（グリッド）にあわせて試掘区を設定したりして、層位の確認と層位ごとの遺構・遺物の出土状況を確認します。試掘調査には長方形の溝を掘ってみるトレンチ調査や、遺跡の性格や遺跡にかけられた方眼などにあわせて正方形に掘ってみる、試掘抗による調査があります。

・本調査

予備調査などを経て、調査区や調査方針、予算、調査期間、調査体制などが決まると、いよいよ本調査です。

調査の方法は遺跡の種類によって多様ですが、ここでは発掘調査として調査例が多い、集落の調査と古墳の調査について見ていきましょう。

集落の調査

発掘しようとする遺跡には、東西南北を軸とした方眼のグリッドを設定します。グリッドの基準点の緯度経度を測定し、遺跡の位置を明らかにします。磁北を基準にして任意に設定する場合や、遺構にあわせて任意に方眼を設定する場合もありますが、必ず、遺跡がどこに、どのように位置しているかを明確にすることが重要です。

表土の掘削

地層の堆積を見るために、グリッドにそって畦（ベルト）を残しながら、耕作土や地表面などを、遺構を確認できる面まで掘削します。このとき、日本では遺構確認面まで、ユンボを使うことが一般的となっています（第29図）。

理論上、遺構を確認できる面は、当時の人びとが生活していた生活面を、若干掘削した面となってしまいます（第30図）。

遺構を確認したら、残してあったベルトのセクション（断面）の実測と写真撮影して、遺構確認面まで掘削します。

遺構の掘削

遺構の確認状況を明らかにするために写真を撮影します。その後、遺構の形に合わせて十字にベルトを残し、掘削を始めます（第31図）。ベルトを残すのは、遺構の埋まり方を知るためです。ベルトの土層の堆積の仕方を見れば、遺構が廃棄された後、どのようにして埋まったかを知る

第29図　国分寺市遺跡

第30図　国分寺市遺跡遺構確認作業

第31図　国分寺市遺跡遺構掘削作業

ことができます。自然に埋没したのであれば、土層は遺構の縁から土が流れ込んだように堆積しますし、人為的に埋められたものであれば、そのように土層は堆積します。中には、火災で放棄されたものや、放棄された遺構をゴミ捨て場として使っている場合などもあります。

遺構を掘削していくと遺物が出土します。遺物が遺構のどの部分から、どのような状態で出土したかは、遺構の性格や年代を決めるのに重要な情報です。したがって出土した遺物は、その下に土柱を作って、できるだけその場所に残して掘り進めていきます（第32図）。遺物を出土したその場に残すことを「原位置を保つ（原位置保存）」といい、考古学では重要なことです。

ベルトと遺物を残して、掘削が終わると、遺構と共伴すると思われる遺物や、遺存状況がよい遺物、時期のわかる遺物など、多くの情報を提供してくれる資料価値の高い遺物を残して、他の遺物を取り上げます。このとき、基準点からの距離と高さをはかり、遺物の位置を点で測量しておく場合もあります。

次に、ベルトの写真撮影とセクション図を作成し、遺構の埋没の仕方を観察します（第33図）。また、どの時期の遺物がどの層に含まれているかなど、時期的な考察の参考とします。その後、ベルトを掘削し、遺物の出土状況の写真撮影と、平面図作成を行います（第34図）。

遺物の中には、使われていたときのまま埋没してしまった遺物や、祭祀に使われてそのまま放棄された遺物など、人びとの生活や行動をうかがい知ることができるものや、遺構の時期を決定づける遺物など、とくに資料価値の高いものが含まれています。これらの遺物は、個別に出土状況の写真を撮影し、微細図を作成しておきます（第35・36図）。

資料価値の高い遺物の取り上げた後、柱穴などのピットを掘削し、セクションの写真撮影と図を作成し、遺構のエレベーション図作成を作成します。次に、遺構の平面写真撮影・平面図作成して、遺構の下の部分を掘削し、遺構の作り方などを観

第32図 板橋区大原町 NO98 遺跡遺構掘削

第33図 板橋区大原町 NO98 遺跡セクション

第34図 板橋区大原町 NO98 遺跡遺物出土

第35図 板橋区大原町 NO98 遺跡遺物出土

第36図 国分寺市遺跡遺物の出土状況測量

第37図 板橋区大原町 NO98 遺跡完堀

第38図 下の層の住居址

第39図 駒澤大学・多摩川台古墳測量

察し、写真撮影とセクション図を作成してようやく一つの遺構の完掘となります（第37図）。

　次により下の層の遺構を確認するために最初の畦を復元して、掘削をすすめます（第 38 図）。

古墳の調査

　古墳の調査も、基本的には三次元で記録していくことを目的としています。

　古墳は樹木で覆われていることが多く、まず草刈りが大切な仕事です。草刈りが終わったら、測量と写真撮影を行い古墳の現状の形状を記録にとどめます（第39図）。

　その後、築造時の古墳の形状を知るためのトレンチ調査と、古墳の主（あるじ）が葬られた主体部の調査に移ります。

　トレンチ調査

　古墳の形が良くわかる部分にトレンチを設定し、掘削します（第40図）。掘削後は、トレンチの位置とトレンチ内の古墳の形状を平面図に描き、写真を撮影します。遺物が出土した場合は、遺物の出土状況図と写真を撮り、遺物を取り上げます。さらにトレンチのセクション図と写真を撮ります。場合によって墳丘を地山まで掘削して、墳丘の構築方法を観察します。この場合もセクション図と写真を撮ることは言うまでもありません。

第40図 厚木市・久保屋敷古墳

第41図 柏市・弁天古墳主体部確認

第42図 柏市・弁天古墳主体部掘削

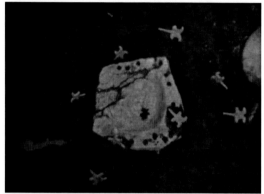

第43図 柏市・弁天古墳遺物出土

第44図 土器接合

第45図 遺物実測

第46図 トレース

第47図 図版作成

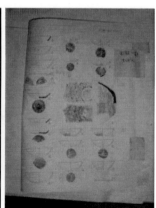

第48図 校正

主体部の調査

　古墳の主体部も、基本的には住居址の調査方法と変わりはありません。まず、主体部の主軸方向に合わせてベルトを設定し、掘削を始めます（第41図）。主体部を掘削した土の中には、直径1mm以下の小玉や骨片が含まれていますので、ふるいにかけ、水洗してこれらを見つけ出します。ベルトを残して掘削を終わると、セクション図や写真を撮ってベルトを掘削します（第42図）。その後、遺物の出土状況の図面や写真を撮って遺物も取り上げます（第43図）。さらに主体部を堀りあげて、平面図・エレベーション図・立面図と写真撮影を行い、主体部の構造を知るためさらに掘削して写真・図面をとって、完堀となります。

・整理作業

　発掘調査は遺跡を掘ってしまえば終了ではありません。その後、遺物の整理を経て遺跡の記録を残すための報告書を作成することになります。遺物の種類にもよりますが、土器や石器のような洗浄しても良い遺物は、水洗いして余分な土を落とします。その後、割れた破片を接合し、石膏や補修材をつかって、もとの形がわかるように復元します（第44図）。

　復元が終わったら、写真撮影と実測を行います（第45図）。次に遺物の実測図も遺構の図面も、トレースして報告書の図版を作ります（第46図）。また、整理作業と同時に遺構や遺物の調査報告原稿を執筆します。そして、原稿と図版、写真図版を組み合わせ、報告書のレイアウトを組みます。近年は原稿の執筆やトレース、レイアウトはパソコンで行うようになりました。これらを印刷し、文章や図版の間違いを直して、報告書を出版します（第47・48図）。

　報告書が出版されて初めて、発掘調査は終了となります。整理作業は、発掘調査と同じくらいの手間と時間、予算が必要となる作業です。

　遺跡の調査の過程でその重要性が認識され、保存された遺跡もあります。

吉野ヶ里遺跡

　吉野ヶ里遺跡は弥生時代の大規模な環壕集落址です。1980年代、佐賀県は吉野ヶ里丘陵南部に工場団地の開発を計画し、その際、文化財発掘のための事前調査を行って遺跡の存在を確認しました。

　1986年の本格調査によって、遺跡は約59ヘクタールの広範囲に広がることがわかり、工

第49図　吉野ヶ里遺跡

場団地計画を縮小することになりました。その後、考古学者の佐原真・高島忠平をはじめとして、県や市民団体による保存運動が高まり、1989 年に県は遺跡と重複する地域の開発を中止しました。1990 年 5 月には史跡に、1991 年 4 月には特別史跡に指定され、1992 年に閣議によって国営歴史公園の整備が決定しました（第 49 図）。

三内丸山遺跡

　三内丸山遺跡は青森県青森市の郊外にある、縄文時代前期中頃から中期末葉（約 5500 年前 4000 年前）の大規模集落跡です（第 50 図）。遺跡は江戸時代には知られていましたが、その詳しい内容は不明でした。1992 年から、この地に新しい県営の野球場を建設するために、遺跡の発掘調査が行われました。その結果、この遺跡が大規模な集落跡とみられることがわかり、1994 年には直径約 1 メートルの栗の柱が 6 本検出され、大型建物の跡も発見されました。これを受け同年、県では既に着工していた野球場建設を中止して遺跡の保存を決定しました。2000 年には国特別史跡に指定されました。

図版の出典・参考文献

第 22 図　ラスコー洞窟『フリー百科事典　ウィキペディア　日本語版』2021/01/15
http://ja.wikipedia.org/wiki/%E3%83%95%E3%82%A1%E3%82%A4%E3%83%AB:Lascaux_painting.jpg
第 23 図　始皇帝の兵馬俑『フリー百科事典　ウィキペディア　日本語版』2021/01/15
http://ja.wikipedia.org/wiki/%E3%83%95%E3%82%A1%E3%82%A4%E3%83%AB:Xian_museum.jpg
第 24 図　始皇帝『フリー百科事典　ウィキペディア　日本語版』2021/01/15
http://ja.wikipedia.org/wiki/%E3%83%95%E3%82%A1%E3%82%A4%E3%83%AB:Qinshihuang.jpg
第 25 図　見瀬丸山古墳{国土航空写真}『フリー百科事典　ウィキペディア　日本語版』2021/01/15
http://ja.wikipedia.org/wiki/%E3%83%95%E3%82%A1%E3%82%A4%E3%83%AB:Mise_Maruyama_kohun_aerial.jpg
第 26 図　『聖蹟図志』より抜粋『フリー百科事典　ウィキペディア　日本語版』2021/01/15
http://ja.wikipedia.org/wiki/%E3%83%95%E3%82%A1%E3%82%A4%E3%83%AB:Misemaruyamakohun_Seisekizushi.jpg
第 27 図　洛陽鏟（さん）中国・周公廟遺跡　筆者撮影
第 28 図　ダルベルジン・テパ　ウズベキスタン（google earth）
第 29 図～第 48 図　筆者撮影
第 49 図　吉野ヶ里遺跡『フリー百科事典　ウィキペディア　日本語版』2021/01/15
http://ja.wikipedia.org/wiki/%E3%83%95%E3%82%A1%E3%82%A4%E3%83%AB:Yoshinogari_Ancient_Ruins_2008.jpg
第 50 図　三内丸山遺跡『フリー百科事典　ウィキペディア　日本語版』2021/01/15
http://ja.wikipedia.org/wiki/%E3%83%95%E3%82%A1%E3%82%A4%E3%83%AB:Reconstructed_Pillar_Supported_Structure.jpg

第 50 図　三内丸山遺跡

Ⅴ．何が残っているのでしょう？

　人類の過去や行動、人類の生きていた環境を知ることができるあらゆる物質が考古資料となります。したがって考古資料は多種多様です。

　考古資料は基本的に次のように分類されます。

　ピラミッドなどの墓、万里の長城のような防衛施設、オリンポス神殿など祭祀施設、集落・都市・灌漑システム・採集場・採掘場・狩猟場・耕作地・戦場・道などの不動産を「遺構」、様々な道具や製品・廃棄物・遺存体などの動産を「遺物」と呼んでいます。そしてこれらが有機的に結合した一つのまとまりを「遺跡」と呼びます。

　そのほか、人類が製作・使用・消費し、破棄したり放棄したりした物質をアーティファクト（人工物）とよび、花粉など人類が生活した環境を復元できる物質をエコファクトと呼ぶこともあります。

　遺物や遺構は、それが置かれた環境によって遺存する状況が違います。遺物や遺構が破壊される要因としては、光・風・水・土壌・化学物質・植物・動物・昆虫・腐敗菌・カビ・自然災害などの自然破壊と、開発・宗教観から・戦争・いたずら・盗掘・不慮の事故・人工的化学物質などの人為破壊とがあります。

　また、何で作られているかという素材によっても遺存度が大きく異なります。無機物である金属器・石器・土器は比較的遺存する物質です（第51〜53図）。一方、木器・骨・植物製品・革製品・動物遺体・人体などの有機物は遺存しにくい物質です。

　一般に、遺跡の中で最も出土量が多い遺物は、人びとが生活の中で大量に使った土器です。土器を使用する以前は、石器が主な出土遺物です。

　特殊な環境では、思いもよらないものが良好な状態で遺存している場合があります。

　海中の金属遺物は、酸化皮膜に覆われることによって耐食性が生じるため、タイタニック号などの沈

第51図　縄文土器

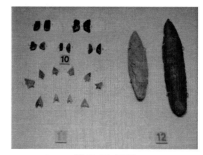

第52図　石器

第53図　金属器（銅鐸）

没船が比較的良好な状態で発見される場合があります（第54図）。

　福井県若狭町所在の鳥浜貝塚は、縄文時代草創期から前期にかけて（今から約12000～5000年前）の集落遺跡で、低湿地に位置していたため、縄文時代のかごやポシェットなど保存良好な植物製遺物等1376点が国の重要文化財に指定されました。

第54図　タイタニック号

　馬王堆墓は中国湖南省長沙（ちょうさ）市郊外で発見された漢墓群です。1号墓には「軑侯家丞（たいこうけじょう）」と記す封泥（ふうでい）が発見され、棺の内にはほとんど完全な女性の遺体があり、皮・肉の軟組織と内臓が良好に保たれていました。その他にも多量の副葬品が発見されました。この女性は長沙国の宰相利蒼（りそう）の妻で、武帝以前の文帝代の紀元前168年に死亡したと推定されます。多湿で密閉状態にあったため、遺存したもののようです。

　また、ドイツ北部ヴェンデバイの泥炭地では約2000年前の目隠しされた少女の溺死体が発見されています。

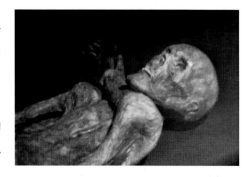

　氷によって保存された遺体としてはアイスマンがあります（第55図）。アイスマンは1991年にアルプスにあるイタリア・オーストリア国境のエッツ渓谷（ドイツ語: Ötztal; 海抜3210メートル）の氷河で見つかった、約5300年前の男性のミイラです。2001年にX線撮影で左肩に矢尻が見つかり、これが死因である可能性が高まりました。部族間の争いに巻き込まれ、山を超えて逃亡していた最中に死亡したという説があります。周辺植物の分析から、標高700mの麓に居住し、死亡時期は晩春と推定されています。

　逆に乾燥は、有機物を乾燥保存します。ツタンカーメンは、古代エジプト第18王朝のファラオ（在位：紀元前1333年頃～紀元前1324年頃）で、1922年ハワード・カーターとカーナヴォン卿によって調査されました。ほとんど盗掘を受けておらず、王の

第55図　アイスマン

ミイラにかぶせられた黄金のマスクなど、数々の副葬品がほぼ完全な形で出土しました。ツタンカーメンの死因は、DNA 鑑定や CT の調査で、骨折とマラリアが重なって死亡した可能性が高いことがわかっています。ツタンカーメンの妻が作ったと言われる、花の首飾りは特に有名です。

図版の出典・参考文献

第 51 図〜第 53 図 東京国立博物館にて筆者撮影
第 54 図 タイタニック号『フリー百科事典　ウィキペディア　日本語版』2021/01/15
Titanic_wreck_bow.jpg（1480×1036）(wikimedia.org)
第 55 図 アイスマン『フリー百科事典　ウィキペディア　日本語版』2021/01/15・2018/3/31
https://ja.wikipedia.org/wiki/アイスマン#/media/File:Otzi-Quinson.jpg
https://ja.wikipedia.org/wiki/アイスマン#/media/File:Oetzi_the_Iceman_Rekonstruktion_1.jpg

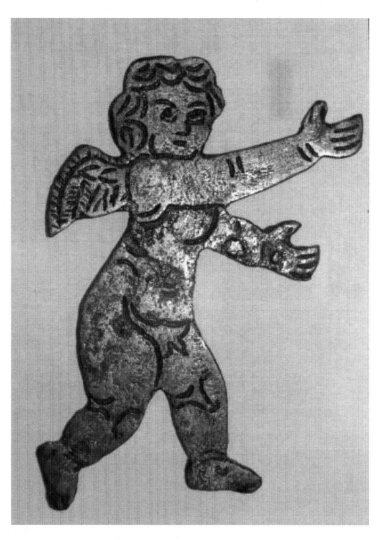

タフティサンギン出土（タジキスタン）

VI. 考古学はいつの時代を扱うのでしょう？

－年代の決定法－

　すでにお話ししたように、考古学は人類の過去を物質から考証する学問です。従って対象となる時代は、人類の発生からのすべての過去の事象ということになり、理論上は昨日も、一瞬前の事象も含まれます。現在は、新橋駅の調査など近代化遺産や戦跡考古学などの現代考古学と、比較的新しい時代の考古学も積極的に進められています。しかし、考古学がもっとも活躍する時代は文字資料が残されていない原始・古代です。

　考古学では、いつ、どこで、誰が、何を、なぜ、どのようにして、どうしたかを知ることが重要です。特に「いつ」を決めることが作業の基礎となります。

　それでは「いつ」はどのようにして決めるのでしょうか？年代を決める方法は、相対的年代決定法と絶対的年代決定法があります。相対的年代決定法とは主に考古学的手法で、層位学と型式学があります。絶対的年代決定法には、自然科学的分析による方法と、紀年名の文字資料を使う方法があります。文字資料には、文献に遺物・遺構の年代が記されている場合、墨書土器や石碑・銅鏡・鉄剣・瓦・墓誌など遺物に年代が記されている場合、漆紙文書のように不要になった古紙を再利用したために考古遺物として文献が出土する場合などがあります。

　この章では考古学的な相対的年代決定法について、次の章では自然科学的分析による絶対的年代決定法について概略をおはなしします。

A 地層累重の法則

　1669 年、デンマークのニコラウス・ステノは「地層累重の法則」を発表します。これは、自然に堆積した地層では「下の層ほど古く、上の層ほど新しい」というものでした（第 56 図）。1785 年、ジェームス・ハットンは『Theory of the Earth』において「斉一説」を説きました。これは地層は過去も現代も同じように形成されているという説で、「現在の地層をみれば過去の出来事がわかる」ということです。後にチャールズ・ライエルは「現在は過去を解く鍵」と言いあらわしました。地層累重の法則が現在にも過去にも成り立つことを意味しています。考古学ではこれを応用し「下の層に含まれる遺物は古く、上の層に含まれる遺物ほど新しい」と考え、これが考古学的な相対的編年を作る基となっています。さらにいえば「同じ層から出土した遺物は同じ時期のもの」と考えることができ、これを「共伴関係にある遺物」と呼んだり、「一

第 56 図 地層累重の法則

括遺物」と呼んだりします。共伴関係にある遺物とは、放棄・遺棄された時期が同じということで、共伴関係にある遺物と判断された遺物は、ある一時期に同時に使用されていたと考えられるということをあらわしています。つまり、利用状況を表現した言葉です。一方、一括遺物とは「ひとまとまりとして扱うことができる遺物」という意味で、出土状況をあらわしている言葉です。これらを認定することは、相対的な時期を決定するばかりではなく、後にご紹介する自然科学的手法を利用する際にも必要な情報となります。

B 地層同定の法則

　1816年には、イギリスの土木技師ウィリアム・スミスが、著書『Strata Identified by Organized Fossils』で、地層同定の法則を主張します。これは、同時期に堆積した地層には、それに特有な化石が含まれ、その化石によって地層の時間的位置や、離れた地域間において同一時期に堆積した地層を同定できるという法則です。地層の年代を決定する化石を「標準化石」とよびます。考古学はこの法則も応用して、標準化石のかわりに土器などの遺物を用いています。つまり「同じ遺物が含まれた地層や遺構は、同一時期に形成された」というわけです。標準化石のように使われた遺物を「標準遺物」とよぶことがあります。

　「地層累重の法則」と「地層同定の法則」を使うことにより、考古学は、遺物・遺構の相対的先後関係や共伴関係を証明できるようになりました。

「鍵層」

　火山の噴火や洪水などによって形成された地層は時期がわかる場合があります。この地層を「鍵層」と呼び、時期を判断する基準となります。火山灰は含有されるガラスの種類や鉱物の組成により、どこの火山のいつの噴火なのかを知ることができるものがあります。これを示準テフラといい、時期の同定に利用します。

　科学的に分析した結果によって29000〜25000年前、鹿児島県始良カルデラが噴火した時の火山灰が全国的に降下し、朝鮮半島にも及んでいることがわかっています。これをAT（始良丹沢火山灰）と呼び、後期旧石器の鍵層として利用しています（第57図）。

　また、宝永4年11月23日（1707年12月16日）富士山が噴火し、大量の黒色の火山灰を広範囲に降らせています。これを、宝永の火山灰といい、現在もその痕跡を見ることができます。この宝永の火山灰層は、関東での江戸時代の発掘調査の鍵層となっています。

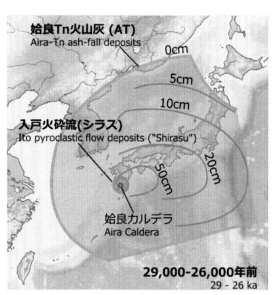

第57図　始良丹沢火山灰

C 型式学について

　型式学とは、遺物や遺構など考古資料の分類方法です。人間は社会的動物で、集団生活をしています。集団生活は動物としての人間の「生存戦略」だったのです。個人はその帰属集団に、意識的もしくは無意識に制約されて行動します。したがって、人間は礼儀作法や、ものの作り方、道具の使用、お祭り、葬送儀礼などにおいて帰属集団の持つ共通の行動様式をとります。考古学者はこの共通の行動様式を「文化」と呼んでいます。同じ文化を持つ人間は類似性のある物質を製作・使用しているというわけです。私たち考古学者は考古資料を分類して、同じ文化を持つ集団を見つけだそうとしているのです。よって考古学では考古資料を分類することが大変重要な作業です。

　もう少し詳しくお話しすると、ある社会においてモノの製作者は、ある特徴をもったお手本であるモデル（範型）を思い描き、それを具現化しようとして、それぞれの個体を製作しました。このモデルは社会によって制約されています。そのモデルのうち、研究者が注目した特徴を抽出して構成した概念が型式です。この型式を一定の原理に従って整理配列することにより分類体系が形成されます。型式を一定の原理に従って整理配列する研究を『型式学』とよびます。

　モデルには次のような特徴があります。

・モデルは製作者が所属する集団の規範や行動様式（祭り・礼儀作法・物作り・使い方・排便方式など）に制約される。

・モデルの具現化は製作者の個人的な癖などの条件によって左右される。しかし、基本的に集団の行動様式から逸脱しない。

したがって、資料の類似性は特定の集団の特徴を示しており、これを型式として人間の行動や精神文化を復元することができるわけです。

　考古資料を分類するための尺度は「機能」と「空間」と「時間」です。ここでは土器を例にとってお話をします。

・機能

「形式（form）」

　まず、機能や用途に基づく分類を「形式（form）」とよびます。「器種」という言葉を使う研究者もいます。たとえば土器を、煮炊きをする鍋、食べ物を入れる皿、貯蔵用の壺、液体を注ぐ水差し、大量に貯蔵するための大甕などに分類することが形式分類です。

「組成（set）」

　人びとは一つの土器だけを使って生活をしていたわけではありません。いくつかの機能が違う土器を一緒に使っていました。ある一時期に同時に使われた土器の組み合わせを組成と呼びます。

・空間

「分布（distribution）」

同一形式、同一時期の遺物の空間的広がりを「分布」とよびます。同一形式の遺物の広がりは、それを使用する文化をもつ人々の広がりを示します。分布は一般に、中心地域から徐々に粗になる傾向を示し、文化の中心地域と周辺地域をあらわすことになります。移住などによって人々が動きを示すと、分布の時間的変化にその動きが反映されることになります。ただし、各形式が同一の分布範囲を示すとは限らず、各遺物の分布は複雑に交錯しています。

「スタイル（style）」

同一形式、同一時期においても、中心部と周辺部、または周辺部と周辺部では若干の形の違いをとらえられることがあります。私はこれを「スタイル（style）」と呼ぶことを提唱したいと思います。定義としては、「スタイルとは、同一時期の同一形式に属する物質の形式的特徴による細分で、地域差によるもの」ということになります。この差違の最小単位は個人差に起因する場合もあります。

・時間

「型式（type）」

時間軸を形成するものが「型式（type）」です。型式とは「同一地域、同一形式に属する物質の形式的特徴による細分で、時間によって変化するもの」です。

「組列（series）」

考古学遺物から時間的変化をとらえる方法は、スウェーデンのモンテリウスによって提唱されました。彼はチャールズ・ダーウィンの生物進化論にヒントを得て、古典的型式学を提唱しました。

モンテリウスは、

1，人為物も生物学と同じように区別できる。

2，生物の進化と同じように人為物も系統的に進化する。

という法則を提唱し、人為物の系統的進化を「組列（series）」とよんだのです。つまり、組列とは人為物の系統的な時間的流れです。この組列（series）の変化のなかに型式を設定します。

「セリエーション（seriation）」

人為物は、ある時期に使われ初め、しだいに普及して使われる量が多くなります。しかし、同じ機能を持った新しい人為物が使われ始めると、徐々に新しい物に置き換わっていき、古い物は使用されなくなり数が少しずつ減ります。これを数量的にあらわしたものを

セリエーションと呼んでいます。数量的にもっとも多く現れる状態を流行状態（popularity）といいます。

　ところで、組列はどちらからどちらへ変化するのか、はっきりとはわからない場合があります。そこで、組列の方向を決める方法が必要となります。組列の方向とは「どちらが古くて」「どちらが新しいか」を決めることです。

　組列の方向は次の５つの方法によって決定することができます。

ⅰ 層位学的方法

　地質学に、単純に積み重なった地層では、下の層が古く、上の層が新しいという「地層累重の法則」があります。これを利用して、下の層から出土した遺物は古く、上の層から出土した遺物は新しい、ということになります。

ⅱ 痕跡器官（rudiment）

　痕跡器官とは、生物学の「退化して本来の機能を果たさなくなった器官で、わずかに形だけがそれとわかるように残っているもの」のことで、背広のボタンホールや袖のボタンなど、人為物にもしばしば見ることができます。考古学の痕跡器官は、時間が経過するとともに「機能的なもの」から「機能を持たない単なる飾り」へ変化しています。したがって、この変化を見つけることによって組列の方向をきめることができます。

ⅲ 流行（fashion）

　現代でも服装などに見られるように、人々は機能とは関係なく、そのときの趣向によって人為物の形を変化させます。私はこれを「流行（fashion）」と呼びます。この流行をとらえることによって組列の方向を決定することができます。

ⅳ 共伴関係

　発掘調査をしていると、住居址や古墳の主体部などの遺構の中で、明らかに同一時期に使用されたと推測できる複数の遺物が発見される場合があります。これらの遺物を共伴関係にある遺物と呼びます。組列がわかる標準遺物と同一時期に使用されたと推測できる遺物を見つけ出すことによって、いままで組列がわからなかった遺物の組列を見つけ出すこともできます。また、共伴関係にある遺物は、当時の人々が一時期に何を使っていたかを知ることができ、彼らの生活を考える上でも重要です。

ⅴ 交差年代法（cross dating）

　ある文化の遺物が、他の文化から出土することがあります。これは人々の交流をあらわすとともに、お互いの文化がほぼ同一の時期に存在していたことを示しています。これによって、お互いの文化を比較することができます。これを交差年代法（cross dating）と呼んでいます。

　実際に組列を決定するときには、これらの方法を組み合わせて決定することになります。

・文化

　「様式（yoshiki）」

　ここでいう「様式（yoshiki）」は日本独自の考え方です。様式（yoshiki）とは「同一地域、同一時期に行われた一群の形式のまとまり」のことです。同一地域で同一時代に形成された形式は、お互いに補い合って人々の生活の要求を満たしています。形式のまとまりである様式を共有して生活する人びとは、文化を共有する人びとということになります。様式はある文化を持った集団を特定しようとしているのです。

　様式をスタイル（style）と訳することが行われていますが、英語の style とは意味が違いますので、私は yoshiki とすることを提唱しています。

　このように、型式学とは考古遺物や遺構を分類して考察する上で最も重要な理論です。

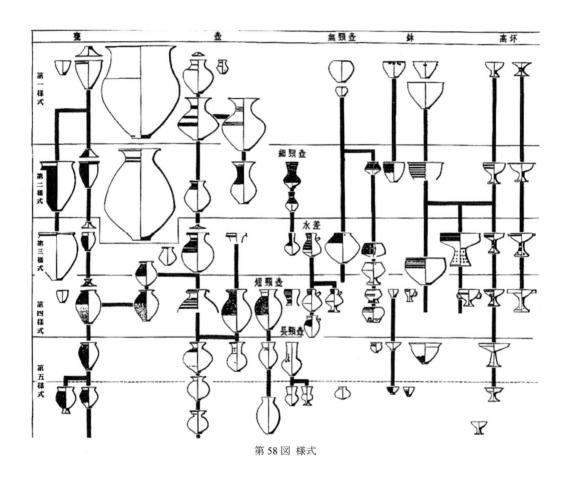

第 58 図　様式

図版の出典・参考文献

第 56 図　地層累重の法則『フリー百科事典　ウィキペディア　日本語版』2021/01/15
http://ja.wikipedia.org/wiki/%E3%83%95%E3%82%A1%E3%82%A4%E3%83%AB:IsfjordenSuperposition.jpg
第 57 図　姶良丹沢火山灰『フリー百科事典　ウィキペディア　日本語版』2021/01/15
https://upload.wikimedia.org/wikipedia/commons/5/52/Aira_AT_tephra_29-26ka.svg
第 58 図　様式
横山浩一 1985「3 型式論」『岩波講座　日本考古学』1 p 55 から転載

VII. 科学的年代測定法とは何でしょう？

　近年、考古学は科学の協力を得て、いろいろな科学的年代測定法を用いるようになってきました。ここでは主な科学的年代測定法を紹介します。

A　放射性炭素年代測定法

　植物は光合成を行ない、体内に炭素14を取り込んでいます。取り込まれた炭素14は放射壊変して窒素14へと変化していきます。植物が生きて光合成をしている間は体内での炭素14の濃度（炭素13や炭素12に対する炭素14の存在比）は一定に保たれ、また、その植物を食べた動物の体内の炭素14も一定に保たれます。ところが、動植物が死んでしまうと、新たな供給がないため、炭素14は時間とともに窒素14へと変化し、しだいに減少していきます。その半減期は5730年です。よって、炭素14の減少量を測定すれば、試料が遺体となった年代を推定することができるのです。

　この方法は、大気中の炭素14の含有率が常に一定ならば、未補正のままの年代を使うことができます。しかし、その含有率は年代によって変動しており、測定された年代は本当の年代より新しい数値が出てしまうことがわかってきました。そこで、年輪年代測定法と比較して炭素14の年代の誤差を修正します。これを較正とよんでいます。

　また、近年は加速器を使うことによって微量の試料で年代が測定できるようになりました。この方法を加速器質量分析（AMS）法と呼んでいるのです。

B　年輪年代測定法

　木の年輪は一年に１つできます。年輪のでき方は、その年の気候によって変わり、気候変動によって成長のパターンが決まっています。調べたい木材の年輪の数を数え、成長のパターンを、既知の資料から作られたパターンと比較すれば、その木がいつ頃伐採されたかを知ることができるのです（第59図）。

C　地磁気年代測定法

　地球の地磁気は年代によって変化しています。ところが、炉や窯址など、焼けた土は、過去の地

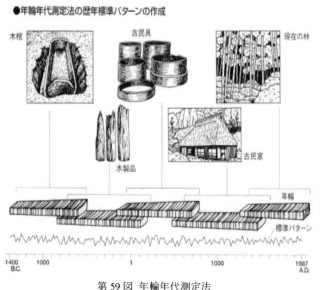

第59図　年輪年代測定法

磁気の方向を記録しているのです。したがって、その方向を調べ、地磁気の永年変化図と比較することで年代を知ることができます（第60図）。

図版の出典・参考文献

第59図 年輪年代測定法
平尾良光・山岸良二編 1998 文化財を探る科学の眼 2
『石器・土器・装飾品を探る』国土社 p 39　より転載
第60図 磁気年代測定法
平尾良光・山岸良二編 1998 文化財を探る科学の眼 2
『石器・土器・装飾品を探る』国土社 p 32　より転載

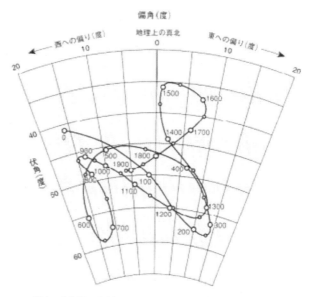

過去2000年間の地磁気の変化を表す曲線です。試料の偏角と伏角の値をこの図に当てはめて、年代を求めます（時枝克安さん（島根大学理学部）提供の図より作成）

第60図　磁気年代測定法

駒澤大学・周公廟遺跡（中国）

Ⅷ. 考古学における分布論とは何でしょう？

　遺物や遺構はある一定の空間的広がりを持って分布しています。遺跡・遺構・遺物の組み合わせの空間的広がりから、人間の行動や物資の流通や文化の交流・伝播などを考察することができます。近年では、自然科学的分析法を使い、銅や鉱物などの産地分析の同定により、より詳しい分布研究が行えるようになりました。また、三次元計測をともなう空間情報科学的手法の支援を受けて、分布論の新しい見方も加わっています。

　泉拓良は、分布を、遺跡内や遺構内の比較的ミクロな分布を検討する場合と、地域や地方、全国的な広域（マクロ）な分布を検討する場合に分けています（泉拓良 2009「8　遺物の機能をさぐる」『考古学－その方法と現状－』財団法人放送大学教育振興会）。ミクロな分布は、遺物や遺構の機能を知ったり、個人の作業の様子を復元したりすることができます。広域（マクロ）な分布では、文化の特定やその広がり、文化の伝播や人々の移動、モノの流通などについて検討を加えることができます。

A ミクロの研究

　ルイス・ビンフォードは、1969 年・1973 年にアラスカのヌナミュート・エスキモーを研究し、狩猟採集民がどのように道具や骨を破棄するかを観察して、民族考古学という分野を開拓しました。彼は、炉の周りに座ったエスキモーが肉を食べるときに、骨の小片が飛び散る場所を「ドロップ・ゾーン」とし、肉を食べ終えた後の大きな骨を、前や後ろに捨てる部分を「トス・ゾーン」と呼びました。これを、15000 年前の旧石器時代のパンスヴァン遺跡（フランス）の理解に応用し、人数や人びとの行動を復元したのです。

第1図　土井ヶ浜遺跡出土人骨分布図

第 61 図　土井ヶ浜遺跡

山口県土井ヶ浜遺跡の研究で古庄浩明は、遺体の分布と抜歯の関係から、弥生時代のムラがどのような社会であったかを考察しました（第61図）。

弥生時代前期の墓地である土井ヶ浜遺跡は、貝のカルシウム分の多い海岸の砂地に造られていたため、日本では珍しく、数多くの人骨が非常に良い保存状態で出土しています。この墓地に葬られた人々の多くは抜歯をしています。抜歯は、その人の出自や帰属集団などによって、抜く歯の場所が違います。この抜歯の研究により、土井ヶ浜遺跡を形成したムラの人々は母系制の社会で、男女同権か男性が権力を持つ

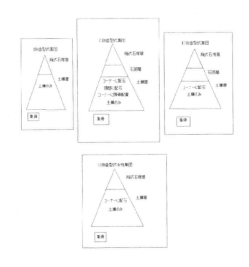

第62図　土井ヶ浜遺跡のヒエラルキー

状況だったことを明らかにすることができました（古庄浩明 2001「土井ヶ浜遺跡の社会構造」『山口考古』第21号山口県考古学会・古庄浩明 2005「土井ヶ浜遺跡とその社会」『季刊考古学』第92号雄山閣）。

さらに、ムラは婚姻によってお互いを補完する半族的数集団で構成され、有力集団は家長を中心としたヒエラルキーを形成し、各集団は有力集団のヒエラルキーを模倣した墓制をとっていることがわかりました（第62図）。土井ヶ浜ムラの人々は、半農半漁の「海の民」だと思われます。このムラのリーダーは、海の交易ルートを確保・維持し、南海産の貴重な貝の腕輪などの産物を入手して、これをムラを構成する家族（世帯共同体）の家長たちに分け与え、各家長はそれをみんなに分けていました。その恩恵にあずかった見返りに、人々はリーダーに奉仕して、ムラを維持していたのです（古庄浩明 2007「土井ヶ浜遺跡の祭祀と社会」『原始・古代日本の祭祀』同成社）。

B　広域（マクロ）の研究

広域の分布を扱ったものとして、小林行雄の同笵鏡論（どうはんきょうろん）があります。鏡は一つの鋳型（いがた）で幾枚も作ることができ、同じ鋳型によって作られた鏡を同笵鏡といいます。前期の古墳から出土する遺物に、三角縁神獣鏡という鏡があり、小林行雄はこの鏡の分布を調べて、三角縁神獣鏡が33面出土した京都府椿井大塚山古墳を中心として、各地の古墳に鏡が配られたという説を打ち出しました（第63図）。これを同笵鏡論といいます。三角縁神獣鏡には景初3年の銘のあるものがあり、景初3年は、卑弥呼が魏に使いを送った年なのです。したがって、この論は邪馬台国の場所が畿内にあったという傍証となったのです。さらに、古墳時代には畿内を中心としたヒエラルキーを形成した社会であったという、前方後円墳体制の証明ともなる重要な理論です。

ところで、卑弥呼は亡くなったとき「大きな塚」に埋められました。椿井大塚山古墳も大塚です。卑弥呼の墓なのでしょうか。　残念ながら椿井大塚山古墳は山背国にあり、大和

ではないのです。さらに、椿井大塚山古墳は4世紀前半の築造と考えられ、卑弥呼が亡くなった3世紀とは時期が合いません。

　ところが1997年～1998年、全長130メートルの奈良県天理市黒塚古墳の発掘が行われ、椿井大塚山古墳と同じ数の三角縁神獣鏡が出土したのです。石室の盗掘穴からは3世紀代の庄内式土器が出土して、黒塚古墳は箸墓古墳より古い古墳だと私は思います。では、黒塚古墳が卑弥呼の墓なのでしょうか。これにも少し問題があります。大和古墳群のうち、大王クラスの古墳は一番上の河岸段丘上に構築されていますが、黒塚

第63図　三角縁神獣鏡

古墳は二番目の段丘上に構築されており、トップクラスの古墳ではないのです。しかし、これによって三角縁神獣鏡が畿内を中心として配布されたと考えてもおかしくないことが証明されました。

図版の出典・参考文献

第61図　土井ヶ浜遺跡
古庄浩明 2007「土井ヶ浜遺跡の祭祀と社会」『原始・古代日本の祭祀』同成社
第62図　土井ヶ浜遺跡のヒエラルキー
古庄浩明 2007「土井ヶ浜遺跡の祭祀と社会」『原始・古代日本の祭祀』同成社
第63図　三角縁神獣鏡　東京国立博物館にて筆者撮影

泉拓良 2009「8　遺物の機能をさぐる」『考古学－その方法と現状－』財団法人放送大学教育振興会
古庄浩明 2007「土井ヶ浜遺跡の祭祀と社会」『原始・古代日本の祭祀』同成社
古庄浩明 2001「土井ヶ浜遺跡の社会構造」『山口考古』第21号山口県考古学会
古庄浩明 2005「土井ヶ浜遺跡とその社会」『季刊考古学』第92号雄山閣

国際交流基金・文化遺産保護のためのワークショップ（ウズベキスタン）

IX. どうやって作られているのでしょう？

－製作技法－

　石器や土器、その他の遺物・遺構は人の手によって作られています。モノを作る人にはそれぞれの指紋や癖があり、製作者を特定できる場合があります。また、モノの製作技法は集団によって決まっていたり、世代を通じて伝えられたりしており、同じ製作技法を持つ集団は同じ文化を持っていると考えられます。さらに、同じ技法で作られたモノの広がりは流通の範囲をあらわしていますし、新しい製作技術流入は人の移動をあらわしています。その上に、製作者が個人であったのか、集団であったのか、専業的にモノの製作に当たっていたのか、兼業的であったのかによって社会の構造の違いがわかるのです。

　製作技法を知ることは、個人の同定やその移動、生活の方法や社会の構造、文化や流通圏の同定など、多くのことを私たちに教えてくれます。

A 湧別技法

　湧別技法とは約 13000 年前の旧石器時代に用いられた、石から細石刃という槍の先に使う石器を作り出す技法です（第64図）。まず、石を木の葉型に加工し、葉っぱ状の石を長軸方向に割り、船底型になった石核から、小さな細石刃を剥ぎ取っていくやり方です。

　この技法は荒屋型彫器を伴っており、その分布は北海道から中国やサハリン、東シベリア、沿海州、カムチャッカにまで達しています。マンモスやトナカイなどを追って、シベリア方面から北海道へと人々が渡ってきたことを示し、日本列島にマンモスなど大型動物を追う生活を送っていた人々が渡来したことを教えてくれています（第65図）。

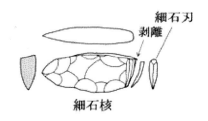

第64図　湧別技法

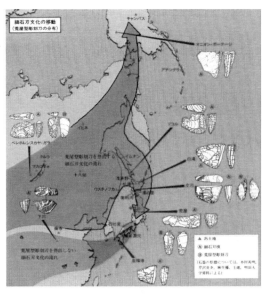

第65図　湧別技法・荒屋型彫器の移動

B 砂川遺跡における石器の接合

　1968年に戸沢充則は埼玉県砂川遺跡で、石器が作られる過程を考察するため、遺跡で発見された石の破片をパズルのように接合し元の石に復元しました。これによって石器が原石からどのようにして作られたか、その製作技法を明ら

39

かにすることに成功したのです。また、砂川遺跡では、原石から石器を作る途中まで復元できた接合資料、石器製作の途中から石器を作り終わるまで復元できた接合資料があったことから、どこか他の場所で原石を途中まで割って砂川遺跡に持ち込んで石器を作り終えた石と、砂川遺跡で原石から途中まで割って他の場所へ持ち出した石があるとして、人々が砂川遺跡に定住しているのではなく、次々に生活の場所を変えながら移動していったと推測しました。このように、旧石器

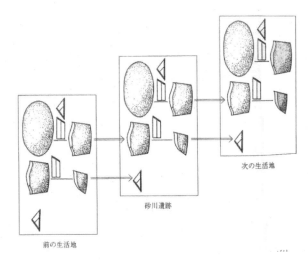

第66図 砂川遺跡　遊動

時代の人々は移動生活をしており、このような生活の形態を「遊動」と呼びました（第66図）。

C 石器の交換

　1987年、栗島義明は石器が集中して出土する地点間で、石器を接合できる場合があることから、家族間や小集団間で石材の交換や譲渡が行われていたと推測しました。そして、石器や情報、モノ・ヒトの交換には婚姻に伴う贈答など、均衡的互酬性（きんこうてきごしゅうせい）の原理が働いているとしたのです。

D 古墳文化の受容

　1993年古庄浩明は、弥生時代後期から古墳時代前期に相模西部域の集落遺跡から出土する台付甕の台の作り方を分析して、それまでにはない古墳文化に伴う外来系の台の作り方の受容状況を5パターンに分類しました（第67図）。そして外来系の台の作り方を積極的に受け入れる集団と、そうでない集団が7km以内に存在することから、弥生時代後期にはこの地方を統一するような集団はいまだ存在せず、集団ごとに古墳文化の受容をめぐって異なった立場を選んでいたことを解明しました。さらに各集団の中で、積極的に古墳文化を受容した集団が次の段階で前方後円墳を造っていることを明確にしたのです。

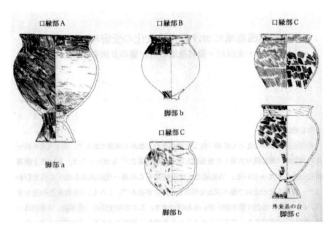

第67図 弥生時代後期相模西部域の台付甕

図版の出典・参考文献

第 64 図　湧別技法
小島善邦「第 2 回石は物語る」『古代吉備を探る 2』岡山県古代吉備文化財センターに加筆
http://www.pref.okayama.jp/kyoiku/kodai/saguru2-2.html
第 65 図　湧別技法・荒屋型彫器の移動
吉崎昌一 1986「謎を秘めた縄文以前」『週刊朝日百科　日本の歴史　35　原始・古代②』朝日新聞社　p 1 − 53 に加筆
第 66 図　砂川遺跡の遊動
今村啓爾 2004「4　先土器時代から縄文時代へ」放送大学教材『考古学と歴史』放送大学振興会 p55　から転載
第 67 図　弥生時代後期相模西部域の台付甕
古庄浩明 1993「相模西部域における古墳文化の受容について」『法政考古学』第 20 集　法政大学考古学会

東京文化財研究所・アクベシム遺跡の調査（キルギスタン）

国際交流基金・文化遺産保護のためのワークショップ（ウズベキスタン）

Ⅹ．どのように使われたか、どうしてわかるのでしょう？

－機能・用途－

　考古学は、過去の人びとの行為を物質的痕跡から復元することですから、遺物・遺構・遺跡という考古資料（モノ）の機能や用途を探ることが重要です。

　機能とは、モノが持つ固有の役割で、モノが作られた目的です。用途はモノの使われ方です。空き缶を灰皿の代わりにするように、時としてモノは機能とは別の用途で使われる場合があります。

　モノの用途や機能を明らかにするだけではなく、道具の対象物・装着のされ方・運動方向・有効性・耐久性・使用者の性別年齢階級・労働形態など、その背景をも調査する必要があります。

第 68 図　釣り針

　上原真人は機能認定する方法として、次の五つの方法があるといっています（上原真人 2009「8　遺物の機能をさぐる」『考古学－その方法と現状－』財団法人放送大学教育振興会）。

１．現代の感覚・経験に基づいて認定する。

２．民俗（folklore）資料・民族（ethnology）資料・文献史料（documents）から類推する。

３．遺物自体の細部観察・分析によって認定する。

４．出土状況の観察によって認定する。

５．製作実験・使用実験から類推する「実験考古学」。

　そして、これらの方法を組み合わせて認定することが重要だとされています。

１．現代の感覚・経験に基づいて認定する。

　下駄・筆・大工道具・弓矢・釣り針（第 68 図）など、遺物の中には、現代でも使われているモノが多くあります。これらの機能は説明を必要としません。しかし、ジェネレーションギャップや地域差・生活習慣の違いによって認定能力に違いが出ることがあります。

第 69 図　木簡（模造）

２．民俗（folklore）資料・民族（ethnology）資料・文献史料（documents）から類推する。

　民俗学・民族学の研究成果を利用する方法と、考古学者が自ら民俗・民族例を調査する民族考古学とがあります。

　民俗例として、神社の紙の人形を流す「流し雛」の風習から類推して、古代の祭祀遺跡出土の人形は穢れを移して流されたと推測できるのです。

　文字史料を利用した例は「古事記」「日本書紀」などの文献や、土器に直接「塩」などと

内容物が書いてある場合があります。そのほか木簡
や漆紙文書・絵巻物・銅鐸の絵・埴輪などから使用方
法を類推できることもあります（第69〜71図）。

　民族考古学（エスノ・アーケオロジー）は、ルイス・ビンフ
ォードによって提唱されました。先に記したとお
り、北アラスカ、ヌナミュート・エスキモーの食料
の種類・キャンプの大きさ・小屋・炉に集まって生活
する成人と子供の数・ゴミ捨て場の位置や内容物な
どの調査を考古資料と参照し、人びとの社会や活動
を類推したのです。

３．遺物自体の細部観察・分析によって認定する。

　土器の口の部分に炭化物が付着したカワラケは、
灯明皿として利用されたと推測できます。このよう
に使用痕を分析することによって、利用方法を類推
できるのです。

　阿子島香は、石器を次の６項目について使用痕を
分析することによって利用方法を類推することを
進めています（阿子島香2009「9 使用痕分析と実験考古学」『考
古学－その方法と現状－』財団法人放送大学教育振興会）。

第70図　銅鐸絵画

第71図　埴輪に見る馬の装飾

　　1　微小剥離痕→刃こぼれ

　　2　光沢（ポリッシュ）

　　3　線状痕　石器の動きを推測

　　4　摩滅　量的なすり減り

　　5　破損　規模の大きな使用痕

　　6　残滓　対象物の残りかす

　石器に残る痕跡は運動方向・対象物によって違うことがわかっています。石庖丁はそれに
着いた痕跡を分析することによって、使用方法が解明された遺物の一つです。

４．出土状況の観察によって認定する。

　発掘調査では、しばしば、炉に置かれた状態で土器が出土します。これによって土器が
煮炊きに使用されたことがわかります。また、竈の煙道に、底がない状態で置かれた土器
は、本来の製作目的を離れ、煙突に転用されたことがわかります。そのほか、骨に刺さっ
た石器は狩猟道具だと推測でき、人骨に刺さった石器や青銅器は、武器として使用された
ことがわかります。

５．製作実験・使用実験から類推する「実験考古学」。

　人間の行動は、帰属集団に制約され一定のパターンを持って行われます。同じ集団に属
する人びとが作った道具には同じ特徴が現れるのです。したがって使用される段階でも一

定のパターンを示し、一定の使用痕を残すことになります。

　実験考古学は実験によって使用痕を再現し、人間の行動を復元しようというものです。

　オックスフォード大学のキーリーは金属顕微鏡をつかいポリッシュを観察し、肉・木・皮など加工した対象物によってポリッシュが違うことを証明し、石器の対象物を特定しました。さらにベルギーのメーア遺跡で出土した石器の分布とその使用痕から「骨角を加工した場所」や「皮革を加工した場所」というように、人間の行動を復元したのです。

　前出の石庖丁も実験考古学の例です。

　また、小林正史と北野博司による土器の焼成実験と実際の遺物の比較から、人間の行動や社会の復元をしようとする研究も行われています。

図版の出典・参考文献

第68図〜第71図　東京国立博物館にて筆者撮影

上原真人2009「8　遺物の機能をさぐる」『考古学—その方法と現状—』財団法人放送大学教育振興会
阿子島香2009「9 使用痕分析と実験考古学」『考古学—その方法と現状—』財団法人放送大学教育振興会

東京文化財研究所・アジナ・テパ出土涅槃仏（タジキスタン）

XI. 遺跡の保存とは何でしょう？

　遺跡の発掘調査はそれ自体が破壊行為です。遺跡は現状のまま何千年も保存されてきたわけですから、発掘しないでそのままの状態を維持することが現状では一番の保存方法だといえます。しかし、発掘しなければ遺跡の正確な内容を知ることはできず、遺跡の価値を知ることも学問を進めることもできません。また、そのままでは自然に風化していくことも確かです。考古学はその存在の根底で大きな矛盾をはらんでいるのです。

　高度成長期以降、日本では開発のために年間 7000 件以上の発掘調査が行われ遺跡が消滅しています。遺跡の数には限りがあります。このままでは、私たちのアイデンティティーを教えてくれる遺産がすべて消滅してしまうことになります。いまこそ「遺跡のワイズユース（wise use）」という考え方が大切です。ワイズユースとは「賢く使う」という意味です。もともとは 1971 年のラムサール条約で提唱された「湿地という生態系を維持しつつ、その賢明な利活用によって湿地と水鳥の保護を図る」という考え方に由来します。このワイズユースという考えを遺跡の保存にも取り入れて「遺跡という歴史環境を維持しつつ、その賢明な利活用によって遺跡と文化遺産の保護を図る」必要があると考えています。

　日本では、遺跡のほとんどは開発のために破壊されて消滅しているのですが、いくつか保存された遺跡を見ると、平城京や三内丸山遺跡、吉野ヶ里遺跡など、遺跡公園として整備されています（第 72 図）。一部の成功した例を除き、公園として保存されたほとんどの遺跡は、目新しさもあり数年は訪れる人びとも多いのですが、次第に飽きられて訪れる人びとの数が減少していき、赤字になってメンテナンスする予算さえも削られていくという傾向にあります。今までの遺跡公園は「遺跡を公園として保存さえすればよい」という考え方で整備されてきたため、公園として整備した後の運営利用計画が十分になされていなかったのです。

第 72 図　吉野ヶ里遺跡

遺跡を保存し利用・活用するワイズユースという考えからいくと、遺跡公園として保存しながら利活用することは理にかなったよい方法といえます。しかし、ただ公園にすればよいと言うのではなく、遺跡公園にするにあたっては、理念と理念を実行するシステムとマネージメントが必要です。

日本が深く関わりを持ち、観光資源として活用しながら遺跡を保存している例として、カンボジアのアンコールワットがあります。アンコールワットでは「遺跡の修復」「カンボジア人専門家の養成」「遺跡・村落・森林の共生」をうたい、大きな成果を上げています。また、おなじカンボジアのアンコールトムを

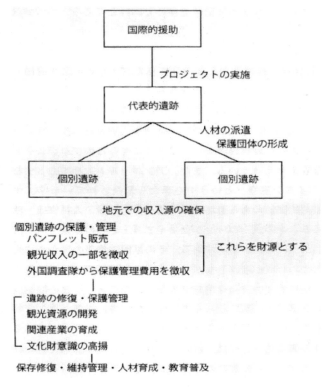

第73図　遺跡の保存管理の方法

中心とするバイヨン寺院の保存活動では「バイヨン憲章」として、その理念が公表されています。このように、ワイズユースに成功している例を見ると、観光資源として積極的に活用し地元の経済の活性化につながる必要があることがわかります。地元の活性化につながれば、遺跡の価値を再認識してもらえ、ひいては文化財保護の意識を高めることができるのです。私は 1965 年に ICOMOS で採択された、記念建造物および遺跡の保全と修復のための国際憲章である「ベニス憲章」や、「バイヨン憲章」の理念を受け継いで、観光資源として遺跡をワイズユースし、地元の人びとの力で遺跡を保存するシステムを作ることを提案しています（第73図）。

図版の出典・参考文献

第 72 図 吉野ヶ里遺跡『フリー百科事典　ウィキペディア　日本語版』
2021/01/15
吉野ヶ里遺跡 – Wikipedia
第 73 図 遺跡の保存管理の方法

古庄浩明 2009「中央アジア・ウズベキスタンにおける遺構保存の現状と課題」『21 世紀アジア学会紀要』第 7 号国士舘大学 21 世紀アジア学会

国際交流基金・カルシャウール・テパ
（ウズベキスタン）

おわりに

　この本では、考古学の基礎的な調査・研究方法の一部をご紹介しました。つぎに、これらの方法を使って得られた成果から、歴史や社会を復元する作業が待っています。どのような歴史像や社会像を描くかは、それぞれの研究者が知識と想像力をフル回転させて挑む、いわば「時空を超えた知的冒険」です。研究者には肩書きはいりません。「卑弥呼がどこにいたか」「アレキサンダー大王の遺体は、今どこにあるのか」「人類はいつ、なぜ生まれたか」「日本人はどこから来たのか」「未解読の古代文字には何が書かれているのか」など、まだまだ解明されていないことは山ほどあります。みなさんも考古学の成果を駆使して、いろいろな歴史像や社会像を実証的に描く「知的冒険の旅」に旅立ってみてはいかがでしょうか。きっと、楽しいひとときを過ごすことができると思いますよ。

駒澤大学・多摩川台古墳の測量

第二版　考古学の世界 －初めて考古学を勉強する方のために－
THE WORLD OF ARCHAEOLOGY second edition

2018年3月31日　　初 版 発 行
2021年3月31日　　第二版発行

著　者　　古庄　浩明

発行所　　株 式 会 社　　三 恵 社
〒462-0056 愛知県名古屋市北区中丸町2-24-1
TEL:052(915)5211
FAX:052(915)5019
URL:http://www.sankeisha.com

ISBN978-4-86693-380-1